WILLY VANDERSTEEN

KU-207-220

scenario en tekeningen
MARC VERHAEGEN

Standaard Uitgeverij

Je vindt alles over Suske en Wiske op
www.standaarduitgeverij.be
en op de fansite www.suskeenwiskefameuzefanclub.nl

Wil je graag weten wanneer het volgende album van Suske en Wiske verschijnt?
Surf naar www.strip.be/nieuw en laat je e-mailadres achter.

© 2005 Standaard Uitgeverij
Alle rechten van reproductie, vertaling en aanpassing zijn uitdrukkelijk voorbehouden voor alle landen.

OP EEN DAG NODIGT LAMBIK ZIJN VRIENDEN UIT VOOR EEN UITSTAPJE IN DE KEMPEN...
Waar gaan we precies naartoe, Lambik?

Wel, het heeft te maken met wat ik in mijn hand heb...
En wat is dat dan? Een biet op een stokje?
1

Kijk maar even onder het doekje...
Je maakt me wel nieuwsgierig...

EEEEEEK!

MILJAAR!
KNAL!
SLIP!
2

Mijn trommelvliezen zijn zowat gescheurd!
Eigen schuld! Ik ben allergisch voor knoken!
Oef! Mijn eierhoofdje is geklutst!

Ik ben benieuwd welke uitleg Lambik heeft voor dat doodshoofd...
Ik ook!
3

Beste vrienden, aanschouw hier het stoffelijk overschot van Hippoliet Lambik, mijn grootoom.
Hippoliet Lambik?

Inderdaad. Barabas vond deze schedel bij een archeologische opgraving op het domein van de Mont Noir in de Kalmthoutse Heide.

DNA-onderzoek heeft uitgewezen dat het om mijn voorvader gaat en...
?!
POK!
4

POK!
POK!
POK!

?
Sorry, maar u bevindt zich in mijn werpbaan. Ik oefen voor het wereldkampioenschap darts. Van Barneveld is de naam.

Suske, wil jij de eerbiedwaardige schedel van Hippoliet even aannemen...

... zodat ik mijn bijltje kan pakken...

... om deze klomp hout te bewerken...
KAP!
KAP!

Wat voor schedel is dit? Van een Neanderthaler of zo?

Hé, jullie lijken sprekend op stripfiguren waar ik gek op ben. Helaas zijn jullie echt.
Tja...

Joehoe, mijnheer van Barneveld!
?

Lambik, rustig!
U loopt in mijn werpbaan!
Doei!

Mijn achtbare stamboom als vogelpikschijf gebruiken... Schande! En dan die auto nog...
Laten we maar een takelwagen bellen.

Wat doe ik met heu... Hippoliet, Lambik?
Breng hem maar naar de site van Barabas. Dat is niet meer zo ver.

Rare geschiedenis, vind je niet, Wiske?
En of! Wat zou Barabas op de Heide te zoeken hebben?
9

Geen idee. We zijn al aan de ingang. Daar is het bijenteeltmuseum.
Stond er vroeger geen villa op de Mont Noir?

Dat klopt. Een Roemeense chalet. Maar die is intussen allang weer verdwenen.
Hier ligt het domein... Als we Het pad van het schaap volgen, komen we er...
10

Dat schaap had zeker vijf poten? Wat een eind...
Laten we een binnenweg nemen. Daarlangs...

EEN HALFUUR LATER...
Hm... Misschien waren we beter niet van het pad afgegaan...
Je bedoelt dat we verdwaald zijn?
11

So what? We zijn toch padvinders voor iets?
Klopt. Hopelijk vinden we de Mont Noir voor middernacht!

Komaan, Franciscus! Positief denken!
Doe ik ook. Net als positief luisteren. Hoor je dat ook?

SHHHH
Huh?!
12

SHSSSSSSSSSSS!!!!

WOEF!
13

Wat is dat in godsnaam?
Achteruit, Wiske. Er zit iemand in de cockpit!

KRIIIIIIP
14

Dat heb je goed gedaan, Bernsohn. Een sprong in de tijd van maar liefst 93 jaar!

Tenminste, ... dat hoop ik toch... Arme Sarah!

WIF!
15

Ha, Tuber! Ik was je haast vergeten...
WIF!

Strek jij maar lekker je pootjes. Maar blijf in de buurt van onze tijdssonde!
WIF!

Loop niet te ver weg, Tuber. Over een halfuurtje ben ik er weer.
16

We wachten even tot ze uit het zicht verdwenen zijn, Wiske...
Ik moet zo snel mogelijk een drogisterij vinden...

Wat zei hij? Dat hij van negentig jaar geleden komt?
Zoiets. Hij ziet er niet bepaald uit alsof hij uit de toekomst komt.
17

Wow! Moet je al die knopjes en hendeltjes zien...

Stel dat hij inderdaad van het begin van vorige eeuw komt. Dan is deze machine een soort tijdscapsule...

Die man sprak van een drogisterij! Wie weet wat hij van plan is! We moeten hem vinden!
18

INTUSSEN...
Ha, die prof!
Hé! Lambik! Dag Sidonia!

Wat is dat voor een rare constructie, professor?
Dat is een nieuwe en snelle methode om archeologisch onderzoek te doen. De BSM of Barabas Surface Method.
19

Heel indrukwekkend. Maar waarom heb je een domme kracht als Jerom nodig?

Een stuk bodem wordt met paaltjes omzoomd en op een diepte van een halve meter losgesneden met staaldraad. Hierna worden touwen gespannen aan de onderkant van de laag.

Jerom, ga je gang!
Oké, prof! Umpf!
20

Hij registreert de aanwezigheid van para-energie. En die is hier op de Mont Noir heel sterk aanwezig...

24

OP DAT MOMENT ZIJN SUSKE EN WISKE HET SPOOR VAN DE VREEMDE TIJDREIZIGER BIJSTER...

We zijn hem kwijt, Wiske...
Het Arboretum... Is hij hier langsgegaan?

Geen idee... Waar moeten we zoeken?...
Door te staan lanterfanten, vinden we hem nooit... Kom, naar het centrum!
25

apote
Halt! Blijf staan, bandiet!
Daar heb je hem!
APOTEEK

Hij betaalde met waardeloos geld! Toch heeft hij het medicijn meegenomen...
Het is voor Sarah...
APOTE
26

Dit geld dateert van het begin van vorige eeuw...
Ik zal het wel betalen...
Dat is heel vriendelijk, jongen, maar dat kan ik niet aannemen.
KIP AAN 'T SPIT

Die kinderen zitten achter me aan... Waarom? Ik moet terug naar de tijdssonde!
We zijn hem weer kwijt! Het is hopeloos...
27

Wat is de wereld veranderd in die negentig jaar! Wat een vooruitgang, welk comfort...

Maar wat een slechte lucht... Uche... uche...

?! Wat is dat? Tropische zwem-paradijzen?... Pretparken?... Interessant!
28

Jerom, je mag de BSM opbergen. We stoppen voor vandaag.
Heb je gevonden wat je zocht, professor?

Nee, Sidonia. De para-energie komt niet van de gevonden voorwerpen... Ik sta voor een raadsel.
29

Het dagboek van mijn grootoom Hippoliet... Wat een vondst! Er staan zelfs tekeningetjes bij...

'Vandaag heb ik met de Sok en Piet de Koperen de Mont Noir bezocht...'

'Ik denk dat we heel dicht bij de ontknoping zitten van de angstaanjagende laatste maanden...'
30

'...wij ontdekten aan de zijkant van Bernsohns huis een geheim luik dat naar een tunnel leidt die...'

WIF!

Je laat me schrikken, mormel! Trouwens... Het is niet WIF maar WAF!
31

WIF!
WIF!
WIF!
WAF!
WAF!
WAF!

Hier een touw...
...en daar een knoop!

Darts voor WIFFERS!
32

Lambik, ben je gek geworden?! Maak onmiddellijk dat arme dier los!

Maak je niet druk, Sidonia. Het was maar een grapje...

Het hondje zal nu wel braaf zijn, nietwaar Bobbie?
TAP! TAP!
33

WAAAH!!!
WIF!
HAP!

Miljaar! Dat monster heeft in mijn edel scheenbeen gebeten!

Hemeltje! Hij gaat er met het dagboek vandoor!
34

Wat? Hou hem tegen! Ik hoop in het dagboek een verklaring te vinden voor de para-energie!
Geen paniek! Jerommeke sprint inzetten...

Bik uit weg! Hondje met fluwelen hanschoenen pakken!
BAF!
35

Roest! Diertje verdwenen. Heide is groot.

Zand te mul om sporen op te zoeken... Zal het op reuk moeten doen...

INTUSSEN BEGEEFT DE MYSTERIEUZE BERNSOHN ZICH NAAR ZIJN TIJDSMACHINE...
36

Ben ik slim of ben ik slim?
Het was een goed plan, Wiske, om Bernsohn op te wachten bij zijn tijdscapsule... Daar is hij!

Mijnheer Bernsohn! Wacht!

Goeie God! De kinderen...
37

Waarom achtervolgen jullie mij? Wat moeten jullie van me?
Wij hebben geen kwaad in de zin, mijnheer...

Nee, wij willen alleen maar weten of u echt uit 1912 komt, waarom u hier een apotheek bezoekt en of u uw toeristenbelasting al heeft betaald...
Wiske!

Zij weten van mijn tijdreis! Ik moet nu meteen terug!
... en of u gelukkig bent?
38

Waarom vraag je niet meteen de kleur van zijn sokken?
Misschien draagt hij er geen...

WIF!
DAGBOEK

Verhip!... Zijn hond!
Wat heeft ie in z'n muil?
39

BAF!
KNOTS!

Sus, Wis? Sorry. Zit beestje achterna. Heeft dagboek gejat...
Dan vrees ik dat je te laat bent, Jerom...

Inderdaad. Het dier is van een zekere Bernsohn die op dit moment weer naar het verleden vertrekt...
40

Sprintje inzetten. Digitale snelweg poepje laten ruiken!...

Hé, Tuber! Je bent net op tijd.
WIF!

Ik heb het medicijn. Dat is het belangrijkste. Terug naar 1912, Tuber!
41

Vreemd tuig gaat vertrekken. Jerommeke stokje voor steken...
VROP VROP!

VROEM!
VLAM!

Roest! Beter boomstam meegenomen!
42

Wat een vlam! Alles oké, Jerom?
Gaat wel. Weet nu wat hamburger doormaakt op barbecue.

Heb je het dagboek van Hippoliet te pakken gekregen, Jerom?
Nee, gemist...

Hou je vast aan de takken van de bomen, professor. Jij bent niet de eerste die een tijdsmachine gemaakt heeft...
43

S USKE EN WISKE VERTELLEN BARABAS, LAMBIK EN TANTE SIDONIA OVER DE VREEMDE BERNSOHN...

Die naam zegt me iets...
Mijn grootoom Hippoliet vermeldde Bernsohn in zijn dagboek!...

Hippoliet stond op het punt om angstaanjagende verschijnselen te ontsluieren. Hij had een luik ontdekt aan de zijkant van Bernsohns huis...
44

Die verschijnselen hadden misschien te maken met de para-energie die ik op de Mont Noir heb gemeten...

Wat doet de schedel van Hippoliet trouwens op dat domein? Wie weet is hem iets overkomen...

Goed gesproken, Sidonia. Wij moeten naar het verleden om mijn na... ik bedoel voorgeslacht te redden!
45

Met Hippoliet heeft Kalmthout een rasechte heimatschrijver verloren...

De voorloper van de onderzoeks-journalistiek. Geen hindernis was hem te hoog, geen gracht...
PLONS

... te diep! Splut!
46

Lambik heeft gelijk. Er zijn genoeg redenen om naar het verleden te reizen...
Onder andere die tijdsmachine, hè profje?

Ik geef toe dat die me inderdaad intrigeert, Wiske...
Geen zorgen, jij blijft voor mij de beste, professor...

Zo is dat. Hippoliet was er ook voor Lambik, maar ik ben wel de beste!
47

Niet waar soms? Hoeveel keer heb ik jullie al uit benarde situaties gered?

Te land, ter zee en in de lucht! Waar een Lambik is, vallen de schurken bij bosjes!... Mijn heldendaden zijn...
BAF!

...een doorslaand succes!
PATS!
PATS!
PATS!
48

Benieuwd hoe de mode in 1912 was, kinderen.
Rokken tot op de enkels, tante.
En voor Lambik een boerenpet!

ONZE VRIENDEN GAAN TERUG NAAR HUIS. PROFESSOR BARABAS ZIT INTUSSEN TE PIEKEREN...

Bernsohn heeft hier dus een medicijn gezocht dat in zijn tijd niet bestond...
49

Hallo? Met de apotheker? Barabas hier... Welk medicijn heeft de man met het antieke geld meegenomen?

Wat zegt U... Risperdal?... Nog nooit van gehoord. Ja, dank u wel. Daag.
APRIL
SPIRELLI

Risperdal onderdrukt waanbeelden en innerlijke stemmen... Vreemd.
Hé prof, wanneer vertrekken we?
50

Roep iedereen bijeen. Zeg tegen Jerom dat hij die oude schoolbanken uit mijn atelier haalt... Ik had ze gekocht om naar Sri Lanka te sturen...

EVEN LATER...
Meester, meester...
Vrienden, ik heb jullie bijeengeroepen om de taken te verdelen in verband met onze tijdreis...
1912
51

Momentje Lambik. Ten eerste is er het dagboek van Hippoliet. Dat moet ik absoluut terug hebben. Het is onmisbaar voor mijn onderzoek.
1912

Kunnen we dan niet beter naar Hippoliet zelf zoeken, professor? Hij weet meer dan zijn dagboek.
Meester, meester...

Je hebt gelijk, Sidonia. En zo kunnen we voorkomen dat hij in duistere omstandigheden omkomt op de Mont Noir...
Meester, meester...
52

Lambik, hou op met je 'gemeester'! Wat is er?

Meester, mag ik de taalfouten in Hippoliets dagboek verbeteren, meester, en mag ik daarbij een rode balpen gebruiken, meester?

Bik zelf één grote taalfout! Ophouden met prof te onderbreken!
Meester, hij begint weer!
53

Is het nu afgelopen met dat gehannes? Lambik, ga in de hoek staan! Jerom, schrijf 10.000 keer dat je braaf zult zijn!

Het was maar om te lachen, hoor professor!
STILTE!

Goed, dan leg ik het wel even uit aan zij die wel kunnen luisteren...
54

Lambik en Jerom gaan naar de Cambuus, omdat Hippoliet daar logeerde...

Suske en Wiske kunnen op de Heide zoeken naar sporen van Hippoliet en...

...tante Sidonia en ik zullen Bernsohn een bezoekje brengen en de angstaanjagende verschijnselen proberen te ontsluieren...
55

Meester, mag ik weer uit de hoek?
Als je je gedraagt, Lambik!

Als ik had geweten dat die schoolbanken zo'n effect zouden...
?

Jerommeke 10.000 keer 'zal braaf zijn' geschreven. Waar leggen?
56

EINDELIJK IS HET DAN ZOVER. ONZE VRIENDEN TREKKEN KLEREN AAN DIE PASSEN BIJ DE TIJD VAN BEGIN VORIGE EEUW...

INTUSSEN IN 1912, NIET VER VAN DE CAMBUUS...
MIWJAAW!
!

Bik ophouden met onnozel te doen. Komt iemand aan. Inlichtingen vragen...
61

MAAR PLOTS...
Halt, madame! Dit is een overval!
...overval!

Geef ons de inhoud van je kar of we knuppelen je lam!
...lam!

Hoe durven jullie een weerloze vrouw te overvallen die twee vaten onschuldig bier vervoert?!
62

Maak het ons niet moeilijk, madame. Stap van de kar en verdwijn. Dan gebeurt er niets!
...niets!

Heldhaftig geboefte biezen pakken of Jerommeke zich mee moeien!

Dat is heel vriendelijk, knappe jongen, maar ik kan het alleen wel aan!
?
63

Wij hebben je gewaarschuwd, madame! Dit gaat pijn doen!
...doen!

O? GAAN JULLIE ME PIJN DOEN? WAT BEN IK BANG!
KLAK!
KLAK!
64

Kom naar moeder Kee, jongens. Ik zal jullie verzorgen in de Cambuus! Het leukste pension op de hei!
KLAK!
KLAK!
Au! Ai! Oei!
Oei!

Dat gebeurt ook niet vaak, hè Jerom, dat een vrouw in nood je hulp kan missen.
Is voor alles eerste keer!
65

Bedankt voor het supporteren, jongens! Mag ik jullie uitnodigen voor een frisse pint in de Cambuus?
Dat klinkt goed!

Lieve help! Moet je zien wat een barak!
We zijn er. Helpen jullie met de biervaten?
66

Zet ze maar in de kelder, jongens, en kom daarna aan de toog!

Hier zijn de pinten! Die hebben jullie wel verdiend!
67

Hebbes!
Hebbe... oei!

MILJAAR!
PATS!

Aha! Je bent ontmaskerd, Hippoliet!
?!
68

Er is maar één persoon die op die manier vloekt! Je hebt jezelf verraden, Hippoliet!

Is vergissing. Is Bik, niet Hippoliet!

Moeder Kee kent haar klanten, jongen. Hippoliet zit vol trucjes. Hij heeft zijn snor kortgeknipt en propere kleren aangetrokken maar...
69

...hij is en blijft een armoedzaaier. Hij leeft hier al maanden op mijn kosten! Hier, begin maar met de afwas, Hippoliet!

Daarna mag je de vloer schrobben en het dak herstellen! Tempo!
Bik doen wat ze zegt... Mogen ons niet verraden...
70

...zal intussen rondkijken en...

En voor onze mooie jongen hier... een veldwachterskostuum! Het werd door de vorige veldwachter achtergelaten toen hij weer stroper werd! Trek aan!

Dat staat je heel goed, jongen. Kom eens hier...
71

Moeder Kee ziet jou wel zitten, jongen. Kom jij vanavond een borrel bij me drinken?

Pak de stouteriken, tijger!

Hopelijk veel stouteriken. Jerommeke overuren maken!
72

SUSKE EN WISKE ZIJN INTUSSEN OOK NAAR HET VERLEDEN GEFLITST. ZIJ BEVINDEN ZICH IN HET MIDDEN VAN DE HEI EN ONDERZOEKEN DE OMGEVING...

Nog steeds geen levende ziel te bekennen en...
IIIII!

Wat is er, Wiske?
Dat arme konijntje is in een klem gelopen!
73

Ik zal het bevrijden, ...Arm diertje...
HALT!

Op stropen staan zware straffen, kinderen!
Wij zijn geen stropers, meneer heu...

Zeg maar Lowieke... Ik ben Lowieke den Baas!
74

Dat konijn gaat met mij mee. Bewijsmateriaal! Die klem is goed gezet.

Vakwerk. Dat kunnen jullie niet gedaan hebben. Jullie zijn onschuldig!

Ben jij echt de baas hier?
Ik heb het grootste domein en ben dus de rijkste heer in de omtrek.
75

Overal waar ik ga, is alles van mij! Ik ben hier de baas! Ik ben Lowieke den Baas!

Wat een rare snuiter!...
Zeg maar rijke snuiter! Alles is hier van hem!

Ai... ai... ai! Niks!... Wij hebben niks!...
?
76

Hou op met janken, Sok! We hadden het kunnen weten!
...weten!

Moeder Kee is geen katje om zonder handschoenen aan te pakken!
...pakken!
77

Die overval was helemaal niet nodig geweest als we de diamanten van Bernsohn al hadden!
...hadden!

Hippoliet Lambik ging voor ons poolshoogte nemen... maar hij is al drie dagen weg! Ik vraag me af waar hij zit!
...zit!

Hij ging zien hoe het zat met dat spook, maar volgens mij is er geen spook!
78

Er is WEL een spook, Sok! Ik heb het gezien! Het ziet er verschrikkelijk uit!
...uit!

!
!
KRAK!

Wat was dat? Een wild konijn?
...konijn?
79

Smijt een dood gewicht in de struiken, Piet! Misschien kan je het nog raken!

Dat is een heel goed idee, Sok!
KRAAK!
80

(*) DEN BAK: DE GEVANGENIS

Wat?! Protesteren? Vooruit, Sok! We grijpen ze bij de lurven!
...lurven!

AHAA!
OEWOE!
KLANG!
KLANG!
85

AUW! AUW! LALA!
...LALA!

Die zijn een tijdje zoet! Vlug ervandoor. Wie had gedacht dat Hippoliet niet zuiver op de graat was?
We kennen hem niet, Suske...

En vergeet vooral niet dat hij familie is van Lambik!
86

En wat gezegd van dat spook?
Eerst zien en dan geloven...

In ieder geval moeten we Hippoliet vinden. Hij is al drie dagen verdwenen...
Dat noemen ze bij ons een onrustwekkende verdwijning!
87

OP DAT MOMENT...
Denk eraan, Sidonia. Wij zijn toeristen. Ik wil Bernsohns vertrouwen winnen.

Zo kan ik meer te weten komen over zijn tijdsmachine en... Wacht eens even! Ik denk plots aan iets...

Dit is de ideale gelegenheid om de paranorm-meter te testen...
88

Bent u foto's aan het trekken? Zijn jullie toeristen?

O... heu... Ik hanteer een soort hoogtemeter. Dit is Sidonia en ik ben Barabas. Wij zijn inderdaad toeristen...

Geweldig! Wees welkom! Mijn naam is Victor Bernsohn. Ik ben eigenaar van de Mont Noir, die trouwens geen berg is, hoor! Hahaha...
89

U woont hier prachtig, mijnheer Bernsohn...
Deze unieke chalet komt van de wereldtentoonstelling van 1884...

!... Daar is de hond met het dagboek! Ik moet het te pakken krijgen! Het dier gaat naar buiten...
90

Ik ga even een luchtje scheppen... Ik voel me onwel...
Ga uw gang, beste Barabas...

Echt een aardige man, die Barabas. Nog een koekje, Sidonia?

Waar is dat beest? Hopelijk is het dagboek niet beschadigd...
91

Een hondenhok... Tuber en Culose... Ze zijn dus met z'n tweeën. Twee kleine mormels.
TUBER
&
CULOSE

Hallo, jongens. De brave professor komt zijn boekje halen...
TUBER
&
CULOSE

GRRMOF!
!
92

Ja, braaf! Geef het boekje maar aan Barabas...
GRRWOF!
WIF!
AU!

Maar... ik kan ook bijten, hoor!
HAP!
KAIET!

HEBBES!
93

YES!
Het dagboek van Hippoliet!

Maar... Er is één grote hap uit! Het is onleesbaar geworden...

WOFHOHO!
WIFHIHI!
94

Daar heb ik niks meer aan. Wat een afknapper!

Hé, dat is de zijkant van het huis, met het beruchte luik, beschreven in het dagboek...

Hippoliet schreef over de ontknoping van angstwekkende gebeurtenissen...
95

Zou hij hier iets ontdekt hebben? Hemeltje, het hele gebouw is onderkelderd...

?
AAT...E ...UIT...I
AAR...E...AAR...E...
96

Hallo? Hoort u mij? Wie bent u?

I...E...I...O...IET!
...AAT...E...UIT!

Hou moed! Ik probeer u zo vlug mogelijk te bevrijden!
97

Makkelijker gezegd dan gedaan... Er is hier geen deur!

Wat een gangen toch... Hé?... Een trap?

!
BLIJF HIER WEG!
OPKRASSEN! Het Spook.
98

Je man blijft lang weg, Sidonia...
Ik... heu... ben single, Victor...

O, echt? Kom, Sidonia. Ik wil je een geheim laten zien...
99

Wat vind je van mijn atelier, Sidonia?...
?
Heb je al die instrumenten zelf gemaakt? Indrukwekkend, Victor!
Uitvinden is mijn hobby...
100

Het is mijn droom om ooit van de Mont Noir een pretpark te maken...

Ik heb een voorstel ingediend voor een zwembad met beweegbare bodem...

Is dit de Mont Noir in het klein, Victor? Er brandt een lampje in de kelder...
101

O... Waarschijnlijk een kortsluiting... Ik moet het even gaan nakijken in de echte kelder...

Tot zodadelijk, mejuffrouw Sidonia...

Wat een galante kerel, die Victor...

Hé, daar zijn Suske en Wiske!
102

Tante, we zijn de Sok en Piet de Koperen tegengekomen...
En ze hebben het op de diamanten van Bernsohn gemunt!

Dat is een ernstige zaak, kinderen. Wij moeten de heer Bernsohn hiervan op de hoogte stellen...
Waar is professor Barabas? Hebben jullie al een spoor van Hippoliet gevonden?
103

Van Hippoliet weten we niks en Barabas is achter het dagboek aan... en blijft lang weg...

Maar laten we eerst Bernsohn inlichten over de snode plannen van de koperen sokken...
De Sok en Piet de Koperen, tante.

OP DAT OGENBLIK...
Vreemd. Het lijkt wel of ik een kind hoor huilen...
104

WAAAAH! EEN... SPOOK!

Barabas, verman je! Een wetenschapper gelooft niet in spoken...

Gegroet heu... dinges. Hoe is het in de wereld van de witte lakens? Geen last van motten?
105

MOT!

KLIK!

BRRROOEMM!
106

?

Miljaarde getaarde! Wat smijten ze nu binnen?
PLOF!

Wat is dat voor een gedoe, spook? Ga je hier een hotel beginnen, soms?
107

Is het weer te veel om iets te zeggen? Triestigaard!

Heb jij ook een pak rammel gehad van het spook, makker? Wie ben jij eigenlijk?

Ik ben professor Barabas, aangenaam. Ben jij Hippoliet?
Nee!
108

Onmogelijk. De gelijkenis met Lambik is te treffend! U moet Hippoliet zijn!
Nee!

Maar als u Hippoliet niet bent, wie bent u dan wel?

Ik ben MIJNHEER Hippoliet!
109

Het is een eer om u de hand te kunnen schudden, mijnheer Hippoliet!
?

Eer of geen eer, de kwestie is dat wij allebei het slachtoffer zijn van het spook, miljaarde getaarde!

Je hebt gelijk, Hippoliet. Hier is geen uitgang te bekennen.
110

Die stenen deur gaat van binnen niet open. Staat er niets over in je dagboek? Wat kwam je hier eigenlijk zoeken?
!

Hoe weet jij van mijn dagboek? Dat ligt in de Cambuus bij moeder Kee! Heb jij erin gekeken?

Dat zijn persoonlijke geschriften, Rabarabas! Dat zijn jouw zaken niet, miljaarde getaarde!
111

Oeps! Natuurlijk weet hij niet dat ik het dagboek in 2005 gevonden heb...

En om op je vraag te antwoorden... Ik heb mijn vrienden de Sok en Piet de Koperen beloofd uit te zoeken hoe het zit met dat spook. Nu goed?
Ik geloof je wel...

Om het over iets anders te hebben... Heb jij een fles jenever bij je, Rabarabas?
112

Jenever? Daar kan ik je niet mee helpen, mijnheer Hippoliet.

Dan heb ik heel slecht nieuws, Rabarabas. Wij gaan hier niet alleen van dorst...

...maar ook van miserie omkomen, miljaarde getaarde!
113

BLIJF HIER WEG!
OPKRASSEN! Het Spook

Daar was laatst een meisje loos, die wou gaan varen... die wou gaan varen...
114

?

O papa, ben jij het?
Hé, kleine meid. Heb je nog tekeningen gemaakt?

Ja, papa. Kijk. Vind je ze niet mooi?
Het... het is nog erger dan voorheen... Ik kan er niets van maken...
115

Heb je nog enge beelden gezien?
Ja, papa. Van magere, trieste mensen in streepjespakken...

Ze hallucineert nog steeds... De nieuwe medicatie helpt niet...

Papa, mag ik buiten spelen? Ik heb daarnet door het raam twee kinderen gezien...
116

Jij blijft binnen, hoor je! Het is veel te gevaarlijk voor kleine meisjes buiten!

Niemand mag weten dat mijn lieve kleine Sarah haar verstand verliest...
117

Ik snap niet waar Victor naartoe is. We hebben het hele huis doorzocht...
Tante, zullen we het luik aan de zijkant van het huis proberen?

Goed idee, kinderen. Tracht meteen uit te vissen waar Barabas zit...
Doen we!
118

Kijk, Bernsohn maakt zijn honden aan het luik vast...
Dat is verdacht!

WAAAH! JULLIE HIER? DAT KAN NIET! IK WORD GEK!
119

Rustig, mijnheer Bernsohn. Wij hebben u gezien in 2005 en we zijn u achternagereisd...
...met de teletijdmachine van professor Barabas.

Kennen jullie mijnheer Barabas?
Inderdaad. Hij heeft de schedel van Hippoliet gevonden onder de Mont Noir.

O, wat heb ik aangevangen! Straks heb ik de dood van Hippoliet en Barabas op mijn geweten...
120

Ik veronderstel dat jullie juffrouw Sidonia ook kennen?
Natuurlijk. Ze is onze tante...

Ik moet jullie allemaal een bekentenis doen. Ik heb een paar ernstige fouten gemaakt... Gelukkig is het nog niet te laat om ze goed te maken...
?
121

Ik snap niks van Bernsohns uitleg. Maar die is ook niet belangrijk.
...belangrijk.

Neenee, ik zei: het is NIET belangrijk!
...belangrijk!

Ik herhaal dus: het is NIET belangrijk!
...belangrijk!
122

Hou op met steeds mijn laatste woord te herhalen, domkop! Denk na! Waarom zet Bernsohn zijn honden voor dat luik?
...

Om ons te waarschuwen voor het spook misschien?

Nee, het spook speelt in de kaart van Bernsohn. Het jaagt iedereen weg!
...weg!
123

Hij moet daar iets belangrijks te verbergen hebben! Misschien zijn diamanten, wat ik je brom!
...brom!

Kom mee, Sok! Ik heb een prachtig plan! We gaan naar het circus!
...circus!

...circus???
124

INTUSSEN IN DE CAMBUUS...
KLANG!
MILJAAR!

Hippoliet, wees voorzichtig met mijn servies en hou op met vloeken!
Moeder Kee, hoeveel keer moet ik nog zeggen...
125

... dat ik niet Hippoliet heet!... Ik ben LAMBIK!

Met de L van LEIDER,... De A van ADORABEL,... De M van MACHTIG,... De B van BERESTERK,... De I van IDEAAL en...

... de K van KABAALMAKER!
BAF!
126

Mens, sla jij al je klanten de schedel in? Geen wonder dat hier niemand zit...

Wat? Mijn kunstschilders zitten op de hei! Roels, Roodhoofd, De Vadder...
Weet je zeker dat het niet De Kladder is?
127

De heren Strijbos en Meurisse zijn aan het jagen! Mannen met klasse!

Dat zijn geen armoedzaaiers zoals jij die... Hola!

KRAK
KLABANG!
128

Lieve help! Ze is door de vloer gezakt!

Moeder Kee, alles in orde? Niks gebroken?

Umpf! 150 kilo is zelfs voor een Lambik te veel!
129

Aha! Brute paardenkracht samen met mijn grijze cellen... dat zal vuurwerk opleveren.

Wacht op mijn teken, paard. Eerst even alles checken...

Die katrol ziet er stevig uit...

En haar benen zijn prima vastgemaakt. Oké, paard!
130

Trekken, paard! Waarom noemen ze je anders trekpaard?

Ja! Het lukt! Ze gaat omhoog!

Ik maak vlug haar voeten extra stevig vast...
131

+ =

ZOEF!

WAAAH!
Is wat aan de hand in Cambuus...
132

?
Help! Red mij! Ik word verpletterd!

EVEN LATER...
Bedankt, Jerom! Wat doen we met moeder Kee? Ze ziet er maar belabberd uit...
133

Mont Noir is dichtste bij. Hebben er misschien emmer vlugzout...

Waar is het paard gebleven, Jerom?
In Cambuus gelaten. Moet nog veel oefenen...

?
HOE VOER IK MIJN PAARDEN-KRACHT OP
134

INTUSSEN...
Ik moet jullie iets vertellen... Mijn dochtertje Sarah verblijft hier ook...
O ja? Dan hebben we een speelkameraadje! Waar is ze?

Ik... ik heb haar opgesloten, Wiske...
Wat?! Waarom?

Ze... is ongeneeslijk ziek... Ze wordt met de dag verwarder...
135

Ik wil niet dat iemand haar zo ziet... daarom verkleedde ik mij als spook...
O echt? Maar dat is toch niet erg, Victor?

Toch wel, Sidonia. Het is uit de hand gelopen. Ik heb Hippoliet en Barabas neergeslagen en opgesloten...

Er zijn verzachtende omstandigheden, Victor... Maar netjes is het niet... Waar zijn ze nu?
136

Ik laat ze dadelijk vrij, Sidonia...
Een geheime deur in de bibliotheek... Vandaar dat we u niet vonden...

Daar is de kamer van Sarah...
Arm kind...
BLIJF HIER WEG
137

En deze stenen deur sluit de kerker af...

Bezoek van het spook? O,... het is meneer Bernsohn zelf...

Suske! Wiske! Wat ben ik blij jullie te zien!
Dat is een hele opluchting!
138

Wil iemand mij vertellen wat er hier aan de hand is, miljaarde getaarde?

VICTOR BERNSOHN VERTELT HET HELE VERHAAL EN BIEDT ZIJN VERONTSCHULDIGINGEN AAN...

Ik keur je handelwijze af, maar ik heb er begrip voor, Victor. Ik wil Sarah zien...
Wat staan jullie mij zo aan te gapen?
139

Laten we zeggen dat je ons heel sterk aan iemand doet denken, Hippoliet.
MENEER Hippoliet! Wel, ik heb jullie nog nooit gezien...

...maar een dergelijke slankheid is een rariteit in deze streken...

Ik zou graag nader met u kennismaken bij kaarslicht en een fles jenever!
140

Hela, Hippoliet! Zit jij niet samen met de Sok en Piet de Koperen achter de diamanten van Bernsohn aan?
!

Dat is een grove leugen! Ik ben hier om het ministerie van het spook op te lossen, miljaarde getaarde!

En ik zal het bewijzen ook!
141

Mij, Hippoliet, voor een ordinaire dief aanzien! Schande over mijn familie!

Laat hem maar, kinderen. Hij heeft lange tenen... Dat zit blijkbaar ook in de familie!

Ik zal jullie naar Sarah brengen... Wees voorzichtig... Ze is uiterst gevoelig...
142

CIRCUS PORTO MALTESE HEEFT ZIJN TENT OPGESLAGEN IN DE BUURT VAN DE HEIDE...
Mijnheer de directeur!...

Wat is er, Bruno?
Onze leeuw Leonardo is verdwenen. Er zijn kort voordien twee nieuwe clowns gezien...
143

EN INDERDAAD...
Goed idee om ons als clown te verkleden! Zo was het ontvoeren van de leeuw een makkie!
...makkie!
PORTO MALTESE

Wat gaan we met de leeuw doen, Piet?
Heel simpel, Sok. Bernsohn moet ons de diamanten geven of we laten de leeuw los!

En als hij geen diamanten heeft?
144

Doe niet zo stom, Sok! Natuurlijk heeft hij diamanten. Hij is toch diamantair, of niet soms?
...soms?
PORTO MALTESE

HALT!
Ik ben Lowieke den Baas!
!
?
PORTO MALTESE
145

Ik wed dat jullie stropers zijn en een groot konijn in die kist vervoeren! Maak open!

Hier wordt niks opengemaakt, Lowieke! Uit de weg of je krijgt een pak rammel!
...rammel!
LEONARDO

Dreigementen aan het adres van Lowieke den Baas? Zozo... Mag ik jullie erop wijzen dat ik...
146

...supersnel en...
...dodelijk efficiënt ben?
WAK! WAK! WAK!
TOK! TOK! TOK!

Daag nooit een Lowieke uit... en zeker niet als hij den Baas is!
147

Konijn, ik geef u de vrijheid! Kom naar buiten!
PORTO MALTESE

GROAAR!!!!
148

Konijn!... Zelfs de circusdirecteur heeft meer respect!

?! Een leeuw?!... Op de hei?!!
Even de poten strekken...
Dat is een zaak voor de konijnenbond!
149

Wat is hier gebeurd? Lijkt wel bom ontploft!...

Ben... Lowieke... den... Baas. Pas op!... Loopt leeuw rond...
Hij ijlt, Jerom. Hier zitten hooguit een paar konijnen...
150

Wie zouden die twee clowns zijn?

Dat zijn de Sok en Piet de Koperen! Tot voor kort waren ze mijn vrienden...

Maar zij willen Bernsohn beroven... Reken hen maar in, champetter!
151

En wie ben jij, kerel?

Ik ben meneer Hippoliet Lambik. Heb je daar problemen mee?

Hippoliet? Miljaar!...
...Miljaarde getaarde!
152

Jerom! Het is Hippoliet, mijn voorvader! In levende lijve!
?

Rustig blijven. Hippoliet weet niet dat wij uit toekomst komen. Zo laten. Zou het niet begrijpen...
Snap ik, Jerom! Maar wat een sensatie!

Hij heeft dezelfde edele gelaatstrekken als ik! Maar is hij even slim?
153

Ik verzin een raadseltje op zijn niveau. Wacht, ik heb het!

Hoeveel glaasjes van 25 cc heb je nodig om een fles jenever van één liter uit te drinken?

Geen enkel, natuurlijk! Als een echte man zet ik de fles aan mijn mond!
154

Van een Vlaamse primitief gesproken! En ik stam daarvan af? Onbegrijpelijk!

Knutseluurtje, Jerom?
Kist aangepast. Luchtgaten voor Sok en Piet. Naar plaatselijke politie brengen...
PORTO MALTESE
LEONARDO
155

Wij zijn zo onschuldig als pasgeboren lammetjes!
...lammetjes!

Weet alleen niet wat er met Lowieke den Baas moet gebeuren...

Lowieke is helemaal geen baas. Ik zal je vertellen wie hij is...
156

Lowieke haalt de klemmen leeg die hij zelf heeft gezet. Hij stroopt op bestelling van klanten...

Als het winter wordt, laat hij zich onderbrengen bij de landlopers van Merksplas. Daar repareert hij de schoenen van de bewakers. Hij is de slechtste niet...

Best mogelijk, maar ga toch maar gaatje bijzagen...
157

Kist naar gendarmen brengen. Tot later, moeder Kee...
LEONARDO
PORTO
MALTESE
Waar zit Hippoliet?

Is ze weg?
Ik denk het wel... Naast zo'n mens kun je toch niet kijken...
158

WAT KRIJGEN WE NU?! TWEE HIPPOLIETEN?

Jij bent de echte, dat is duidelijk!

Maak dat je wegkomt, bedrieger!
Oef!
159

Er zijn nog tal van karweitjes te doen op de Cambuus, Hippoliet!
Wat een sukkel, die Hippoliet!

Door zijn schulden is hij de voetmat van moeder Kee! Zielig...

Nee, dan is de Lambik-stamboom er met mij stukken op vooruit gegaan...
160

OP DAT MOMENT IN DE MONT NOIR...
Papa, papa! Wie zijn die mensen?
Dat zijn vrienden, Sarah...

Sidonia, ik meet hier enorm veel para-energie. Moet je kijken hoe de meter uitslaat...
161

Wat wil dat zeggen, professor?
Ik heb een vermoeden, maar het is te vroeg voor conclusies...

Mijnheer Bernsohn, mogen wij met Sarah buiten gaan spelen?
Ik... heu...

Laat ze maar, Victor... Suske en Wiske kijken wel uit dat Sarah niets overkomt...
162

Goed dan, maar blijf in de buurt... en doe een sjaal om, Sarah!
Papa, de zon schijnt!

Zijn dit Sarahs tekeningen, Victor?
Ja... Triest, niet?

Vroeger maakte ze kleurige en levendige tekeningen... Nu zijn het sombere krabbels...
163

De tekeningen zijn inderdaad onduidelijk... Toch lijken ze iets te willen zeggen...
Ach...

Victor, Hippoliet sprak in zijn dagboek van angstaanjagende gebeurtenissen... Wat bedoelde hij precies?

Of doelde hij op het... spook?
Nee, ... er is meer...
164

Men zou in de buurt lichtgevende engelen gezien hebben...
Engelen?... Heb jij ze ook gezien, Victor?

Ik... ach...

Ik moet het weten, Victor. Het is heel belangrijk...
165

Ja, ik heb ze gezien. Maar het is een zinsbegoocheling. Meer niet. Ik ben een uitvinder, geen gek!
Dus toch...

Ik begin honger te krijgen... Hé, daar loopt mijn middagmaal...
Gooi maar, Sarah!
O, wat is het heerlijk buiten...
166

Ik heb de bal! Hihihi... Kom hem maar pakken als je kan!

Sarah lijkt mij een heel normaal kind te zijn...
Ja, een echte speelvogel...

Wat is er, Sarah?
Wat een mooie grote poes...
167

?!
GRRRRR...
!!!

!!!!!!!!!

Flebberdeflebberdefleb! Joehoe! Stom leeuwtje! Lambik is hier!!
168

Au! Hij is blijkbaar niet onder de indruk!...
SJLAK!

Achteruit, monster! Als je Sarah wilt hebben, zul je voorbij ons moeten!
Monster? Ik? En dat na vijftien jaar voor tamme poes gespeeld te hebben?
169

Hij kan er niet om lachen!
Denk je?

Wij komen nooit op tijd! Arme Sarah!

GROOOAAAR!
170

NEE! SARAH! NEE!
Arm kind!

Ik durf niet te kijken!...
Ze is reddeloos verloren...

Maar... maar... ongelooflijk!
!
171

Sarah! Goeie God! Barabas, hoe is dat mogelijk?!!...

Dit bevestigt mijn vermoeden... Jouw dochter heeft een heel speciale gave, Victor...

172

Wat voor gave, Barabas?... Zie jij die engelen ook?
Inderdaad. Sarah kan hen oproepen... Ze heeft ook visioenen, die ze weergeeft in haar tekeningen...

Kijk! De engelen verdwijnen in de wolken...
Prachtig!
173

Jerommeke net op tijd terug! Onderweg circus tegengekomen...

...zoeken leeuw. Terugbrengen. Lijkt geen probleem... Is zo mak als lammetje...
...Dag lieve poes!...
174

Met de beste wil van de wereld zie ik hier geen visioen in, Barabas.
Heb je een lichtbak?

Ja, hier. Waarom?
Ik wil iets proberen... Als ik nu eens de tekeningen op elkaar leg...

...allemachtig!
175

...Dat zijn Joodse gevangenen tijdens de Tweede Wereldoorlog!

De Tweede Wereldoorlog? Wat bedoel je? Waarom is mijn volk gevangen?
Hoe vaak ben je al naar de toekomst gereisd, Victor?

Dit was de eerste keer. Ik zocht op goed geluk een medicijn voor Sarah... Ik gokte op 2005...
176

DE TIJD VAN AFSCHEID IS AANGEBROKEN... BARABAS HEEFT ZIJN VERKLARING VOOR DE PARA-ENERGIE EN HIPPOLIET LAMBIK IS GERED UIT DE KELDER VAN DE MONT NOIR...

Het Volk *Printing* Erpe-Mere